たじま　ゆきひこ（田島征彦）
1940年生まれ。高知県出身。京都市立美術大学（現・京都市立芸術大学）染色図案科専攻科修了。絵本に「祇園祭」（第6回世界絵本原画展金牌受賞）、「じごくのそうべえ」（第1回絵本にっぽん賞受賞）、「創作民話／島」（さねとうあきら・文）、「火の笛／祇園祭絵巻」（西口克己・共作／第30回小学館絵画賞受賞）、「あつおのぼうけん」（吉村敬子・共作）、「とんとんみーときじむなー」、「そうべえごくらくへゆく」、「てっぽうをもったキジムナー」（いずれも童心社）、「こたろう」（吉橋通夫・共作）、「はじめてふったゆき」（竹内智恵子・共作／1989年ライプチヒ国際図書デザイン展銀賞受賞／いずれも偕成社）、「まんげつのはなし」（住井すゑ・共作／河出書房新社）、「てんにのぼったなまず」（第11回世界絵本原画展金牌受賞／福音館書店）、「からすじぞう」、「中岡はどこぜよ」（関屋敏隆・絵／1990年ボローニャ国際児童図書展グラフィック賞受賞）「みみずのかんたろう」、「ふたりはふたご」（田島征三・共作／いずれもくもん出版）などのほか、筋萎縮症で夭逝した画家の遺作集「絵筆にかけた青春」（編著／偕成社）、エッセイ集「くちたんばのんのんき」、「王さまが裸で歩いとるわ」（いずれも晶文社）、芝居台本「坂本竜馬のごくらくやぶり」（フォア文庫）がある。1995年、35年間の画業をまとめた自伝的画集「憤染記（ふんせんき）」（染織と生活社）を出版した。
現住所　京都府船井郡八木町諸畑小字後町88-3

童心社の絵本
じごくのそうべえ
1978年5月1日初版発行
1997年5月30日80刷発行
作＊田島征彦
発行所＊株式会社童心社
東京都新宿区三栄町22－10　〒160
電話(03)3357－4181(代表)
編集＊千々松勲
写真植字＊東京光画株式会社
製版＊第一製版株式会社
印刷＊幸英社印刷株式会社

N.D.C.913　40p　25cm
ISBN4-494-01203-3
Printed in Japan
第38刷に際し、表紙・カバーを改版しました。

あ、目《め》あいたで。
生《い》きかえったわ。
あんた、よかったなあ。
おいしゃさんを　よびにいったら、
おいしゃさんも　かぜをこじらして、
死《し》んでしもうたいうし、
たいへんやったんやで。
そのいしゃも、
いまごろ　きっと、
生《い》きかえったはるわ。

とざい　とうざい。
かるわざしの　そうべえ
いっせいちだいの　かるわざ、
これより　はりの山《やま》へと　のぼってまいる。
とうざい　とうざい。
しゅびよく　ちょうじょうまで　のぼりつめましたら、
せんばんに　いちばんのかねあい、
ししの　けおとしとござあい。

ちゃんりん　ちゃんりん。
それ、
ちゃんりん　ちゃんりん。

うへへへ。
このものたちは、
もう　じごくから
ほうりだしてしまえ。

どきどきするような　はりの山《やま》や。
この上《うえ》へ　ほうりあげられたら、
どもならんが。

ここは、わしに　まかしてもらお。
わしは、かるわざしの　そうべえや。
こんなもん、なんでもないこっちゃ。
わしの足《あし》のうらは、
いたみたいになっとる。

じごくの　たきぎが、
なくなりました。

うーん。
しからば、
すぐに
かまから　ひきあげて、
はりの山《やま》へ
ほうりあげい。

ああ……あァ、
ええ　ゆうやなあ。

わしなあ、
おならといっしょに
とびだしてきたやろ、
からだじゅう
くそうて
かなわんのや。

ちょっと
おにさん。
せっけんと
てぬぐい。

ちちん
ぷいぷいの
ぷい

いたいなあ、
つきなはんな。
おおきな
ホークみたいなもんで、
おけつ
つきよりまんのや。

この
やまぶしの　ふっかいさまが、
水《みず》のいんを　むすべば……。

ええい。
その四《よ》にんのやつらを、
ねっとうの　かまへ
たたきこめ。

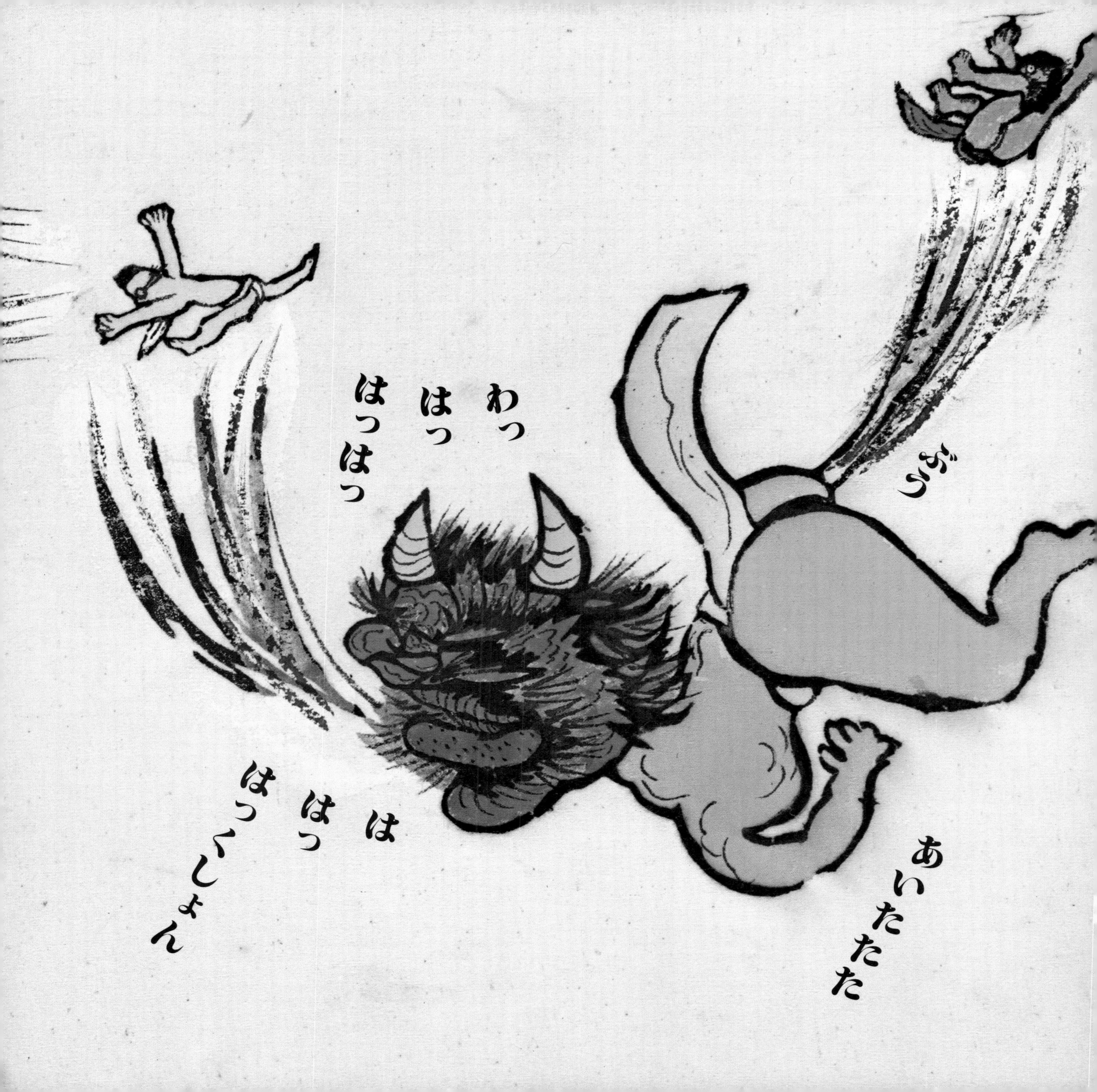
ぶう
あいたたた
わっはっはっはっ
ははっはっくしょん

それー、よいしょ。

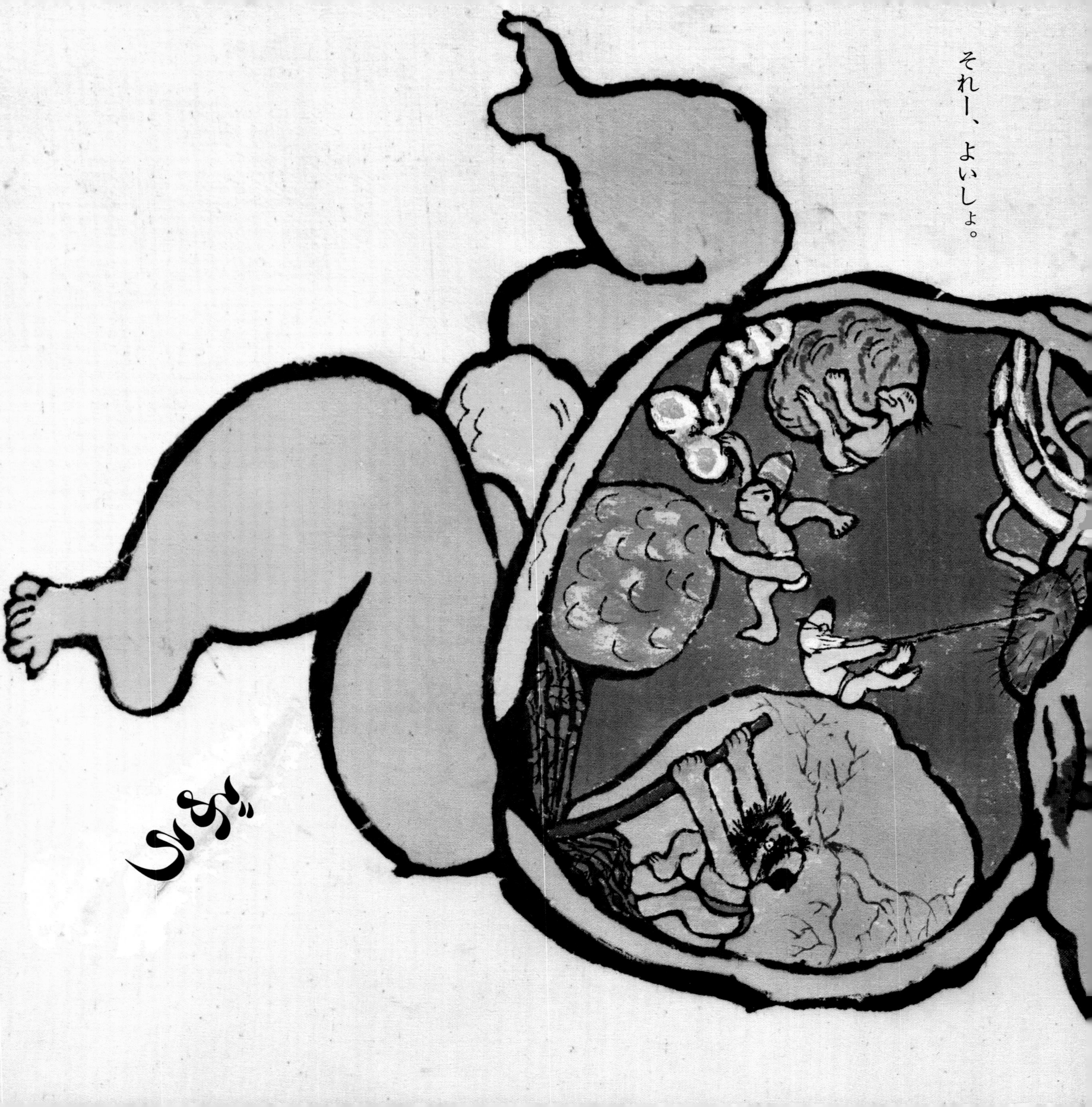

そこのふくろな、そのふくろや。
へぶくろいうてな、こいつをけると、おにが　へをこきよるで。

これでっか。えい！　ぼん

ぶー

こりゃ、おもしろい。

ほんならひとつ、手《て》わけして　ぜんぶいっぺんに　やりまひょか。
このおに、
ちいと　くるしめたらんな。

わしが
このひもひっぱるから、
ふっかいどのは
そのぼうをひいて、
歯《は》ぬきしは
たまをこそばかして、
そうべえはんには、
そのへぶくろを
ぼんぼん
けってもらおか。

そこのたまを　こそばかしてみ、
おにが　わらいよるさかい。

このたまでっか、せんせい。
こちょこちょ、こちょこちょ。

ああ、おもろ。こりゃ　おもろいわ。
こっちのこのぼう　なんですか。
そのぼうのさきが　せんきすじいうてな、
このぼうを　こっちへひくとな、
おにが　はらいたおこしよる。
よし、この、これしょっと。

あいたたあたた

はっ
はっく
はくしょーん

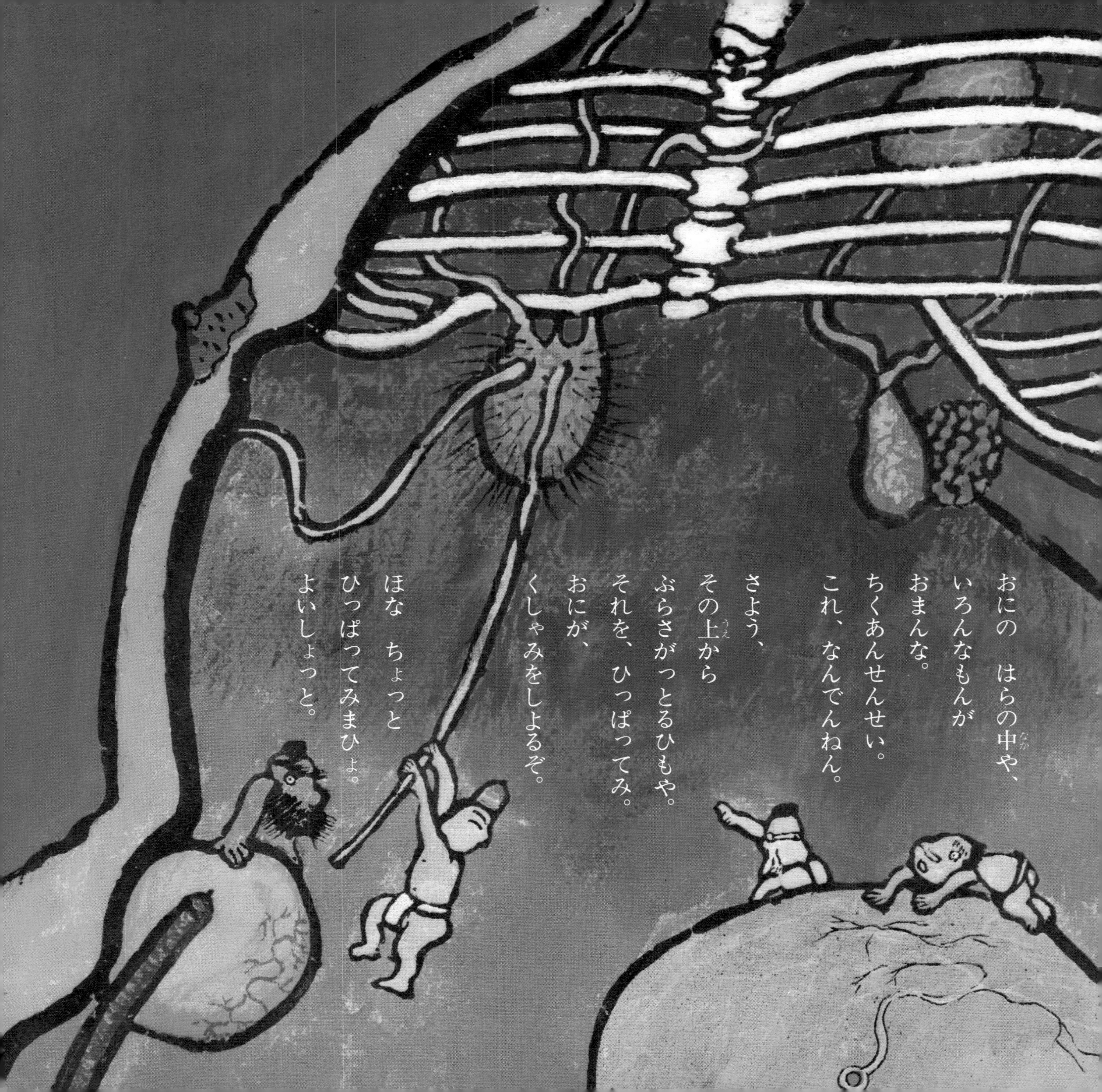

おにの　はらの中《なか》や、
いろんなもんが
おまんな。
ちくあんせんせい。
これ、なんでんねん。

さよう、
その上《うえ》から
ぶらさがっとるひもや。
それを、ひっぱってみ。
おにが、
くしゃみをしよるぞ。

ほな　ちょっと
ひっぱってみまひょ。
よいしょっと。

うえええ
歯《は》ぬけにしよった

おにさん　おにさん。

なんじゃい。

あんた、えらいむし歯《ば》があるなあ。

下《した》から見《み》て、わかるか。

そりゃあ、わしは、歯《は》いしゃやから。
わしも、そんなわるい歯《は》でかまれると、きもちがわるい。
むし歯《ば》にでもはさまったら、どもならん。
いきがけのだちんや、ぬいていったるわ。

そんなこと　できるんかい。

そりゃあ、しょうばいやから。

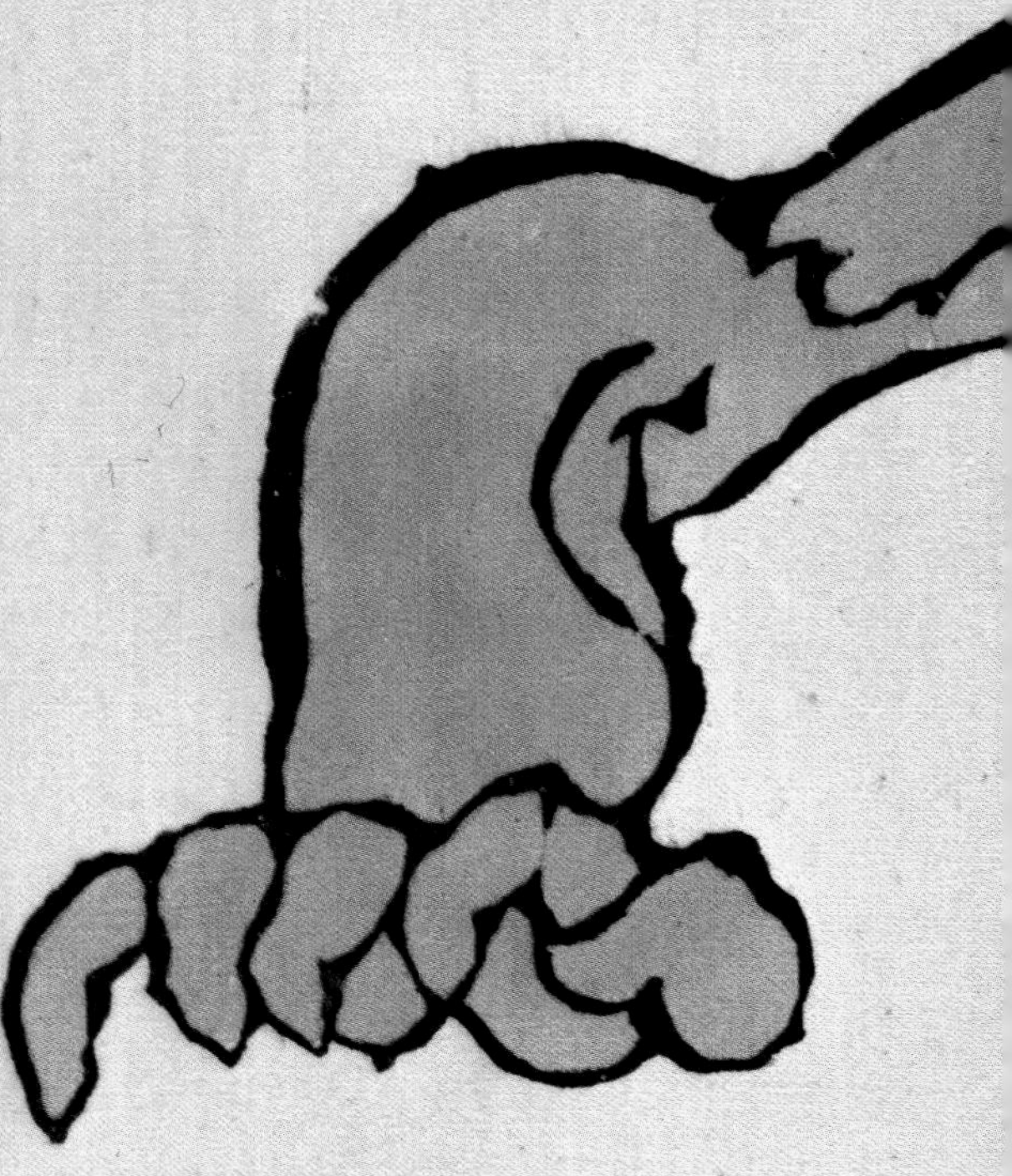

これ、じんどんき。この四《よ》にんのものを　さっそくのんでくれ。
おお、ひさしぶりに　いきのよいごちそうじゃわい。
ようふとって、うまそうじゃわい。
う……、
ちょっと、くさいのう。
けったいなにおいが
しよる。

じごくも　このごろ、
どこも　すいせんしきのおべんじょになってしもて、
ふんにょうが　あつまりまへんのや。

えーい、しかたない。じんどんきを　よべ。
この四《よ》にんを　じんどんきに　くわしてしまうことにする。

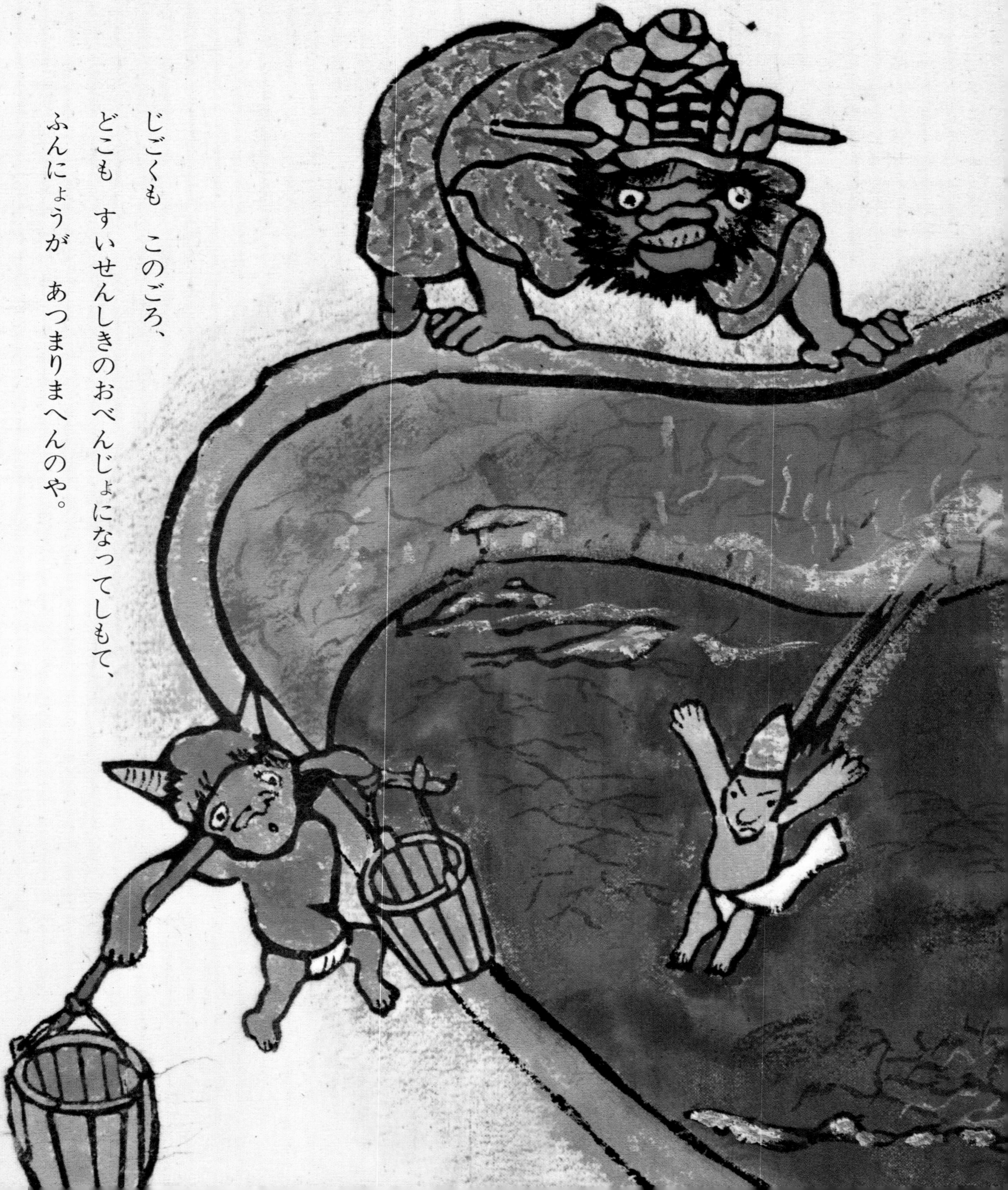

えんまさん、この四《よ》にんのもの
じごくのどこへ　ほりこみまひょ。

そうじゃなあ、
むさくるしいやつらじゃによって、
ふんにょうじごくへ
ほうりこめ。

へーい。

あんまり　くそうないなあ。
こんなんやったら、
うちのトイレのほうが　くさいぐらいや。
うんこが、そこのほうで　ひからびてしもうて、
くっついとるだけや。

そんなむちゃな。
それが、しょうばいやのに。
だまれ、だまれ。
おまえたち四《よ》にんは、
じごくへ　おとしてやる。
あとのものは、
じゃまくさい。
ごくらくへ
とおしてしまえ。

そんな　あほな。
なんで　わしらだけ、じごくへいかんならんね。
もういっぺん、かんがえなおしておくれやす。

ええい、うるさいやつらじゃ。
これ、あかおに、あおおに、
きいろ、むらさき、みどりにピンク。
みんなよって、
その四《よ》にんを　じごくへつれていけ。

今日《きょう》は、死《し》んできたもんのかずが　おおいな。
わしも、すこし　つかれてきたわい。

えーと、
これからよぶものは　まえにでい。
いしゃの　ちくあん。
きさまは、なおるびょうにんでも
死《し》なしてしもうたり、きかぬようなくすりを売《う》って、
かねもうけをしたによって、じごくへ　おとしてやる。

やまぶしの　ふっかい。
きさまも、あやしげなまじないをして、
かねもうけをしておったによって、じごくゆきじゃ。

歯《は》ぬきしの　しかい。
おまえも、よい歯《は》までぬいて
かねもうけしておったによって、
じごくゆきじゃ。

かるわざしの　そうべえ。
おまえは、ええええ……と……、
そうじゃ。
はらはらするような　つなわたりをして、
見《み》るひとのいのちを　ちぢめたによって、じごくゆきじゃ。

あれが、えんま大王《だいおう》や。
えらい顔《かお》しとんのう。
うしろにあるのが、
じょうはりのかがみや。
あのかがみに、
いままでやったわるいことが、
ぜんぶ　うつってしまうんやさかい、
うそいえへんで。
うそいうたら、したぬかれるぞ。
ほんまに、
生《い》きとるあいだに、
もうちっと　よいことしといたら、よかったな。

こりゃ、
ごじゃごじゃすなよ。
川《かわ》にはまったら、
生《い》きるぞ。

生《い》きかえるんや　いうてまっせ。
はまりたいな。

これこれ、なにをいう。
こんなところで生《い》きかえられたら、
わしの　せきにんになる。
もっと　中《なか》のほうへはいっとれ。

すっぱっぱに
されてしもうた。
ふんどしだけ
ゆるしてくれたけど……。

この　さんずの川《かわ》をわたったら、
むこうぎしは、
いよいよ　じごくやで。

あれが、
しょうずかのばあさんや。
死《し》んだもんの
きものはぎとる
ばあさんや。

せっしゃは、
やまぶしの　ふっかいでござる。

わしは、
歯《は》ぬきしの
しかいと
いいます。
よろしゅうに。

わたしは、
いしゃの　ちくあんともうす。

わしら三《さん》にん　うまいこというて、
あの車《くるま》にのせてもろたんは　ええけど、
あれが、ゆうめいな火《ひ》の車《くるま》やったんやな。
じごくへの　ちょうとっきゅうやったんや。
ああ、こわあ。

〽手《て》には　おがらのつえをもち
糸《いと》よりほそい声《こえ》をあげ
おおおおい

心《こころ》ぼそうなってきたな。
おちたとき、足《あし》おれたんやろか。
えらい　あるきにくいわ。
ええところへ　車《くるま》がはしってきよった。
あれに　のせてもらお。
なんや　けったいなのりもんやで。

ここ、どこやろか。
死《し》んでしもたんや。
えらいことに、なってしもたわ。
この道《みち》、どこへいくんやろか。

くう

おっとっとっとっと。
あ―――――っ。

とざい　とうざい。
かるわざしの　そうべえ。
いっせいちだいの　かるわざでござあい。
こちらの松《まつ》のえだから、
むこうに見《み》えまする　酒《さか》ぐらのやねまで、
みごと　わたりおおせますれば、
ごかっさいを。

そうれ。

ペペン　ペンペン　ペーン

じごくのそうべえ

田《た》島《じま》征《ゆき》彦《ひこ》・作

童心社